Un paseo de noche

ELISHA COOPER

SCHOLASTIC INC.
New York Toronto London Auckland
Sydney New Delhi Hong Kong

Vamos a dar un paseo por
el barrio para ver lo que podamos
antes de acostarnos a dormir.

La vecina de al lado ha terminado su trabajo en el jardín.

Ella descansa sobre su carretilla roja debajo del roble.

Las hojas del roble se mecen con el viento.

Dos ardillas brincan en lo alto de las ramas.

Las ardillas se persiguen por los cables de teléfono
hasta el tendedero y luego hasta la bandera.

Corren hacia el comedero de los pájaros.

Los pájaros baten sus alas y dan vueltas
alrededor del comedero.

Un gato blanco y negro se va a descansar
bajo la sombra de un manzano.

El olor de la tarta de manzana sale por la ventana.

La puerta de malla se abre y se cierra,
creando un eco por todo el patio.

Los muchachos cortan el césped y llenan
los cestos de basura con la hierba cortada.

El cartero entrega las últimas cartas del día.

Allí está la bahía con los barcos grandes
y la Luna redonda elevándose en el cielo.

Ahora demos la vuelta y regresemos por donde vinimos.

Ya abrieron las cartas.

Ya pusieron los cestos de basura en la acera.

La puerta de malla no hace ningún ruido.

Ya se comieron la tarta de manzana.

El gato blanco y negro entra a dormir.

Los pájaros están quietos.

Bajaron la bandera y recogieron la ropa.

Los cables de teléfono zumban y las ardillas están tranquilas.

El roble no se mueve.

El viento se ha calmado.

La vecina de al lado ha guardado

su carretilla roja y ha apagado las luces.